尊重生命 亲近自然

给热爱科学探索的你

这是_____的书

法布尔昆虫记（4）

大自然的清道夫——粪金龟

北京科学技术出版社

『똥구슬을 만드는 똥풍뎅이』by Chun-ok kim (author) & Se-jin Kim (illustrator)
Copyright© 2002 Bluebird Child Co
Translation rights arranged by Bluebird Child Co.through Shinwon Agency Co.in Korea
Simplified Chinese edition copyright © 2005 by Beijing Science and Technology Press

著作权合同登记号
图字：01-2005-3601

图书在版编目（CIP）数据

大自然的清道夫/（韩）金春玉编著；（韩）金世镇绘；李明淑译.
—北京：北京科学技术出版社，2009.10 重印
（法布尔昆虫记系列丛书）
ISBN 978－7－5304－3167－2

Ⅰ. 大… Ⅱ.①金…②金…③李… Ⅲ. 昆虫-少年读物 Ⅳ. Q96－49

中国版本图书馆 CIP 数据核字（2005）第 053824 号

大自然的清道夫——法布尔昆虫记（4）

作　　者：金春玉
责任编辑：白　林
责任校对：黄立辉
封面设计：鹿鼎原
图文制作：邱晓萍
出 版 人：张敬德
出版发行：北京科学技术出版社
社　　址：北京西直门南大街 16 号
邮政编码：100035
电话传真：0086－10－66161951（总编室）
　　　　　0086－10－66113227（发行部）　0086－10－66161952（发行部传真）
电子邮箱：bjkjpress@163.com
网　　址：www.bkjpress.com
经　　销：新华书店
印　　刷：保定华升印刷有限公司
开　　本：787mm×1092mm　1/16
字　　数：22 千
印　　张：7.5
版　　次：2006 年 1 月第 1 版
印　　次：2009 年 10 月第 7 次印刷
ISBN 978－7－5304－3167－2/G·399

定　价：19.80 元

序

中国科学院院士 张广学

　　法布尔先生是一位热爱自然的伟大科学家，也是一位优秀的文学家。19世纪末，杰出的法布尔先生捧出了一部《昆虫记》，世界响起了一片赞叹之声，并且这片赞叹声响彻了100多年，直到今天！

　　法布尔先生写的《昆虫记》非常朴素和优美，他把一部严肃的学术著作写成了优美的散文，让人们不仅能从中获得知识和思想，更能获得一种美的享受，并由衷地产生对大自然深深的热爱！

　　作为一位科学家，一位用心去观察、用爱去体会的科学家，法布尔先生的科学研究是充满诗意的，他从不把昆虫开膛破肚，而是充满爱心地在田野里观察它们，跟它们亲密无间。他用诗人的语言，描绘这些鲜活的生命，昆虫在他的笔下是生动、美丽、聪明、勇敢的，他说他在"探究生命"，要"使人们喜欢它们"。他的心思如同一个孩童般纯真，而他的文笔也像孩童般充满想像力和感染力。他要让厌恶这些小东西的人们知道，微不足道的小小虫儿有着许多神奇的本领，它们勇于接受大自然的考验，要在这个世界上争得生存的空间。

　　北京科学技术出版社出版的这套改编的儿童版《法布尔昆虫记》，让小朋友们换了一个方式来阅读这部科学经典。这套书用简洁的语言、可爱的彩图、活泼的故事情节描绘了法布尔原著中具有代表性的昆虫，讲述它们的生活，展现它们的个性，处处流露出对它们的喜爱。我向小朋友们推荐这套图画本的《法布尔昆虫记》，正是因为它的语言非常简洁优美，每种昆虫形象栩栩如生，十分可爱，小朋友们甚至可以透过文字看到它们的喜怒哀乐，故事情节兼具科学性和趣味性，能够激发小朋友们的阅读兴趣和对大自然的神秘好奇心，培养他们尊重生命、亲近自然、热爱科学探索的精神！

　　最后，希望北京科技出版社能够出版更多更好的儿童科普书，同时也祝愿我国的儿童科普事业蓬勃发展！

张广学

2005.8.26.

滚粪球的清道夫

    不知道你是否看过粪金龟认真地推着粪球的滑稽样子呢?

    粪金龟将牛或羊等动物的粪便制作成粪球以后,会把粪球滚回家或是埋在地底下,所以在粪金龟比较多的牧场,你只能看到新鲜的粪便,而看不到时间比较长的粪便。但是在城市的混凝土路上,粪金龟就很难生存了,所以住在城里的小朋友就不会看到它们的身影。早在古埃及,人们惊奇地看到粪金龟滚动粪球,认为粪金龟是使日转星移的神的化身,因而对它们非常崇拜。

    昆虫学家法布尔先生对粪金龟也非常感兴趣,他一生研究了很多种粪金龟,包括有漂亮触角的西班牙蜣螂、闪闪发亮的裸胸粪金龟、平均制作9个卵房的西绪福斯蜣螂等。其中,叫"圣甲虫"的粪金龟,法布尔连续研究了30多年。

    那么,现在就来和法布尔一起去研究粪金龟的生活吧!

目录

大自然的清道夫
——粪金龟 7

我是神奇手 10

在回家的路上 34

可爱的梨形粪球 56

魔术手和帅气角 82

大自然的清道夫——粪金龟

辞去教职的法布尔搬到了塞里尼昂村的附近，

并在当地买了一栋拥有大庭院的房子，

将它命名为"荒石园"。

法布尔就是在这个地方开始专心地研究昆虫。

在6月下旬的一个星期天，

负责帮助法布尔监视圣甲虫活动的牧羊少年，

手里拿着一颗梨形粪球，兴高采烈地跑来跟法布尔说：

"先生！找到了，我找到了一个圣甲虫的卵房。"

"什么？你发现了卵房！"

法布尔跟着牧羊少年跑到发现卵房的地方。

那个地方的土堆有一些隆起，

牧羊少年小心翼翼地挖着土，

法布尔则趴在地上仔细地观察洞穴，

就是在这个时候，

法布尔第一次见到了本书的主角们！

法布尔一共花了 30 多年的时间，
研究各种各样的粪金龟，
除了圣甲虫外，还有裸胸粪金龟、野牛角蜣螂、
宽颈粪金龟、宽胸粪金龟、西绪福斯蜣螂、
西班牙蜣螂、米诺多蒂菲粪金龟和条纹粪金龟等，
其中圣甲虫的体形最大。

我是神奇手

5 月的大地早已披上了春天的盛装，
草原上的小溪蓄积了许多雨水。
伴随着潺潺的流水声，
小路旁盛开着红、白两色的山楂花，
丘陵上，有一群牛正悠闲地吃着嫩草。

"发现牛粪了！"
随着"嗡嗡"的振翅声，
突然出现了一群圣甲虫，朝着牛粪蜂拥而上。

虽然圣甲虫大部分时间躲在地底下，

但是他们的嗅觉非常发达，

只要一闻到粪便的味道，就会马上飞出来，

即使在睡觉的时候也是一样的。

"我得赶紧过去。"

只见"神奇手"也从洞里爬了出来，

并将头上的触角展开成扇子状，迅速地飞了起来。

神奇手的妈妈希望她长大以后，

能成为一只很会制作粪球的圣甲虫，

就给她取了这样的名字。

我是圣甲虫，
世界上最大的粪金龟！

我是圣甲虫，
最爱提问的粪金龟！

圣甲虫的身体呈椭圆形，
有着黑色的光泽，
身长约 26～40 毫米。

"赶快动手吧！"

神奇手将锯齿状的头和前脚当成铲子，

开始挖起粪球来。

"走开！"

突然，有一只圣甲虫大喊着挥起前腿，

用力地揍了神奇手一下，

"这是我的位子，你给我滚开！"

神奇手也不示弱，

将那只圣甲虫狠狠地打倒在地。

这一下打得他晕头转向的，

他爬起来，瞟了神奇手一眼，

只好灰溜溜地飞走了。

周围的其他圣甲虫们也为了抢占最佳位子
而大打出手。
不久，各自占好位子的圣甲虫们
开始制作起粪球来。

"我要做一个又大又棒的粪球！"
神奇手挖出了一块圆形的粪团儿，
接着，立起锯齿状的前腿，
用双手使劲地压粪球。
只见她爬到了粪球上面，
扭动着身体，
不停地往这个方向压一压，
再往那个方向打一打，
忙着整理粪球的表面。

粪球这时还不能骨碌骨碌地滚，
现在可不是在堆雪人，

在粪球完成之前，
可不能随便推来推去呀！

在粪球尚未完成之前，
神奇手是不会移动它的。
好一阵拍拍打打之后，粪球终于完成了。
"现在就带回家慢慢享用吧。"

神奇手倒立在地上，

用长长的后腿抱住了粪球，

再用前腿左右交替着蹬着地面，

粪球开始滚了起来，

滚动的速度非常快。

"要想推得远一点儿，只有这个方法了。"

神奇手继续用前腿蹬着地面，

把两只锋利的锯齿状后脚，

插在粪球上，当成旋转轴。

地面有些凹凸不平，

神奇手继续移动着后腿，

插在粪球上的双脚，不停地变换着位置。

对她来说，这样的路似乎不是什么大问题。

接着又遇到一段坡路，

"嘿呦！嘿呦！"

神奇手吃力地推着粪球向上爬，

"哎呀！"

一不小心，她的前腿踩到了土坑里。

神奇手晃悠悠地和粪球一起，
从斜坡上滚了下来，
"唉呦！"一声从粪球上掉了下来。
神奇手赶紧站起来，仔细检查心爱的粪球，
幸好，粪球没被弄碎，也没变扁。

"真是好危险呐！"

这时，突然从身旁传来了细小的说话声。

"喂！是谁在说话？"

"我们是西绪福斯蜣螂，

刚才差一点压着我们。"

两只西绪福斯蜣螂一边喘着粗气，

一边回答圣甲虫，好像是吓坏了。

西绪福斯蜣螂身长8～10毫米，

有着尖尖的尾部和长长的后腿，

身上还长着许多细毛，

他们是法国食粪虫中体形最小的一种。

"真是对不起！

可是，你们是两个人一起推一个粪球吗？"

神奇手惊讶地眨着眼睛询问西绪福斯蜣螂。

"是啊！我们夫妻正在制作小宝宝的粪球呢。"

"什么？你们已经开始为小宝宝制作粪球了？
可是，现在才5月份呐！"
神奇手对所有的新事物都非常感兴趣，
她开始好奇其他的食粪虫是如何制作粪球的。
"我们都是在凉爽的时候制作粪球。"

听到西绪福斯蜣螂的回答，

神奇手越来越觉得疑惑，

因为圣甲虫是雌性为小宝宝制作粪球，

而且，要等到6月份才开始。

"你们好像有很多地方都跟我们不一样啊！"

"当然了！

我们连长相都不同，能一样吗？"

母西绪福斯蜣螂理所当然地说。

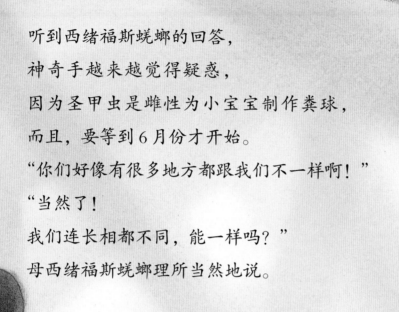

"我们呀，一般制作豌豆大小的粪球，

而且，在滚动粪球的时候绝对不会改变方向的，

所以，昆虫学家引用

希腊神话里的人物"西绪福斯"，

给我们取了学名。

西绪福斯原是一位国王，

由于他常常欺骗众神之首宙斯，

所以，宙斯便处罚西绪福斯将一块巨石推向山顶，

但是，每次西绪福斯将巨石推到山顶时，

巨石都会自动滚下来，

因此，西绪福斯只能永远推着石头。

不过，我们并不认为推粪球是件很累的事情，

反而还以此为乐呢！"

"是，我也是！

可是，你们为什么要两个人一起推呢？"

"因为我们是夫妻呀！

我和丈夫一起干活，一起推粪球。

因为我的身体比丈夫大，所以总是站在前面，

我用倒立的姿势抱着粪球，

而我丈夫则在后面帮忙推。"

"你知道这样推的好处是什么吗？"

母西绪福斯蜣螂问神奇手。

"是啊，能有什么好处呢？"

"这样推能使粪球越滚越结实，

而且，还能使粪球的表面沾上泥土，

如此一来，粪球才不会发霉呀！"

"啊哈！是这样啊，那你们也一起制作卵房吗？"

"那倒不是，当我用前腿和头部挖洞时，

丈夫在一旁紧紧地抱着粪球，

等挖得差不多时，我就先进到洞里，

再把粪球拉进去，

因为我的身体必须挨着粪球才能放心。

如果不看好粪球，有可能被其他的食粪虫偷走，

还有可能让苍蝇抢先在上面产卵。"

"当我继续往下挖时，

我丈夫就会在上面一边小心翼翼地推着粪球，

一边注意不让洞穴坍塌，

我们就是这样互相帮助，

慢慢地将粪球推进洞里。

不过，等我开始产卵时，他就得到洞外面去了。"

"为什么？"

"因为我们的洞穴非常浅，

而且，宽度也只容我抱着粪球勉强爬进去，

所以，我丈夫只能到外面去。"

当母西绪福斯蜣螂在跟神奇手聊天时，

公西绪福斯蜣螂就像表演杂技似的，

用后脚抬起粪球在空中旋转。

"嗯……那你们的洞穴是什么样子呢？"

"就像是你们圣甲虫洞穴的缩小版一样。"

"那为什么这么早就开始挖洞呢？

现在还是凉爽的 5 月呀！"

"因为到了7月上旬，

我们的幼虫就会长大成成虫。

成虫爬出洞穴后，很快再钻进粪便里，

以便躲避炎热的夏天，

然后经过短暂的秋天，

才会钻到地底下过冬。

每当第二年的春天，

一对对的西绪福斯蜣螂就会一起推粪球，

要赶在四五月份时开始制作卵房，

而且，一对夫妻平均要

制作9个卵房和9个粪球。"

"哇！那么多呀！"

"对呀！我们要先走了，

得赶快去制作卵房啊！"

"好的，再见！很高兴认识你们！"

神奇手看着西绪福斯蜣螂夫妻亲密地

推着粪球离去的背影，

心想："如果母西绪福斯蜣螂没有丈夫的帮忙，

凭她一个人的力量，

可能制作不了那么多的卵房吧。"

在回家的路上

当神奇手推着粪球勉强爬到坡顶时，

"我来帮你吧！"

不知从哪里飞来了一只圣甲虫，

站在粪球前方，双手抱住了粪球，

帮神奇手将粪球往斜坡上拉。

"谢谢你！朋友！"

神奇手在后面推着粪球。

但是，他们好像配合得并不默契，

"哎呀！"

那位朋友摔倒了。

但是，两个人还是努力地推着粪球。

"笨蛋，还真以为我在帮她呢？"

那只圣甲虫在心里暗自嘲笑着神奇手，

说着，他把两个后腿缩到了腹部，

偷偷地趴在了粪球上，

不知情的神奇手，仍然一心一意地推着粪球，

朋友和粪球一起滚动起来。

粪球一会儿压到身上，一会儿滚到旁边，
但是，那位朋友仍然牢牢地趴在粪球上。
"嗯，就在这里吧！"
神奇手在一块沙土地上停了下来，
因为沙土地比较容易挖洞。
"就在这里盖间房子吧！"
顾不上休息的神奇手开始挖起土来。
她用锯齿状的头和前腿挖着，
就像一台推土机不停地向前挖。
不一会儿，神奇手就挖出了一个大洞。
"快好了，再挖深一点就可以了！"
每当神奇手把挖好的沙土扔出来时，
她都要瞟一眼自己的粪球，
偶尔还走过去摸一摸。
"喂！快点挖吧。"
那位朋友并没有帮忙一起挖洞，
而是静静地坐在粪球上面。
神奇手挖的洞逐渐变得又大又深，
她也无法时常跑出来察看自己的粪球了。

"好机会！"

就在这时，那个朋友迅速地从粪球上滑了下来，

开始推着粪球逃跑。

"咦？我的粪球哪儿去了？"

不久后，从洞里爬出来的神奇手吓了一跳，

"一定是那个家伙干的！"

神奇手咬紧牙关飞了起来，

没多久，便在前方发现了推着粪球的小偷。

神奇手将薄薄的棕色翅膀收到鞘翅下面后，
用前腿"啪！"的一声狠狠打了那个小偷一下。
倒立着身体急匆匆地推着粪球的小偷，
遭到突然袭击后，仰面朝天倒在了地上。
"你凭什么打人啊？"
小偷气急败坏地大喊着，
手脚在空中挣扎了很久，
费了好大的劲才勉强翻身爬了起来。

"喂！这是我的！"

神奇手站在粪球上面，摆出打架的架势。

小偷也不甘示弱，不停地绕着粪球走来走去，

试图找出破绽，

神奇手也不断地变换着方向。

"去你的！"

神奇手看准小偷移动的身体，猛然挥了一拳，

小偷再次倒在了沙地上，

但他还是不想服输，很快又站起身来，

用前腿用力滚动粪球。

对方这一出其不意的举动，
神奇手一点没有准备，
她慌慌张张地抓住了粪球，
但还是从粪球上滚了下来。
"机会来了！"
小偷用前腿偷袭神奇手，
神奇手也不甘示弱，
他们两个扭打在一起了。

他们一会儿挥拳踢腿，一会儿又抱在一起，

"咔吱！咔吱！"

战场上不停地发出盔甲相撞的声音。

"哎呀！"

突然一声尖叫，小偷仰面倒了下来。

神奇手迅速地爬上粪球，

恶狠狠地瞪着对方，

然后，得意洋洋地说道：

"这下你认输了吧！"

小偷偷偷地瞪了神奇手一眼，

垂头丧气地飞走了。

他好像是放弃了争夺，

打算寻找粪便，自己重新制作粪球去了。

"看样子不能太掉以轻心！"

神奇手赶紧把粪球推回刚刚挖的洞穴，

"还是把粪球放在家里比较安全！"

神奇手急冲冲地挪动着脚步。

"啊！又是怎么回事？"

突然，粪球被卡住了，

神奇手急忙爬到粪球顶端察看。

"嗨，你好吗？我是宽颈粪金龟。"
有个和神奇手长得很像的小家伙，
正努力地推着自己的小粪球。
"咦？你和我长得很像啊，
就是身材太小了。"
宽颈粪金龟的身长约15～23毫米，
比起圣甲虫来非常娇小，
其前胸上有一个小小的沟，
翅膀的硬壳上还有竖条纹。
"这个家伙是怎么制作粪球的呢？"
虽然刚才和小偷奋战已经筋疲力尽，
但是，神奇手仍然无法控制自己强烈的好奇心。
"喂！你过来一下！"神奇手说道。
看样子，宽颈粪金龟有点惧怕神奇手，
只见他小心翼翼地问：
"你要干什么？
请你不要伤害我！"

宽颈粪金龟从来不会到处乱爬，
也不会为了争夺粪球而打架，
更不会丢弃自己的粪球，
因为，他们的性格非常温顺。
"你放心吧！我不会伤害你的，
我只是很好奇，你们是怎样制作粪球的？"
神奇手温柔地解释到。

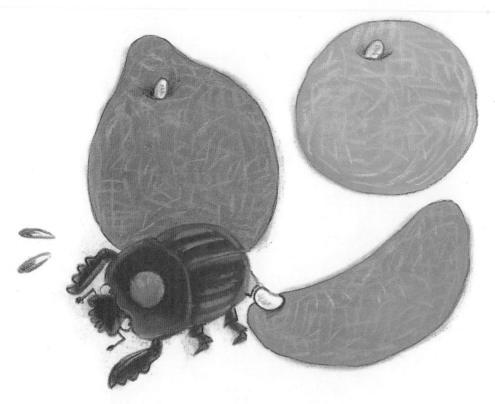

宽颈粪金龟好像松了一口气，

"是这样啊！我们从粪便中挖出最好的部分，

然后，一边用前腿使劲拍打，

一边整理粪球的表面，

最后制作成圆圆的粪球。"

"这似乎跟我们没什么两样，

那么，你们又是如何制作卵房的呢？"

"我们母宽颈粪金龟先将粪球推进洞穴，

再把粪球制作成梨形卵房，

有时还会制作圆形或者半圆形的卵房，

有时则会把它切成一半，制作成两个卵房。"

神奇手认为宽颈粪金龟
虽然身材比较娇小，
但是，许多习性都和自己相似，
所以，应该和自己有近亲关系吧！

看到神奇手失望的表情，
宽颈粪金龟连忙问到：
"那么，你听说过'野牛角蜣螂'吗？
我也是听别人说的，
他们的洞穴很有趣！"
"什么样啊？"
神奇手马上好奇地瞪大了眼睛。
"听说，他们的洞穴像手套一样，
一共有5个手指似的长长的洞，
而且每个洞的底部就是产卵的房间。
通常，野牛角蜣螂夫妇俩呆在
像手掌般的房间交会处，
公的也帮着母的一起盖房子。"

"对了，我遇到的西绪福斯蜣螂，

也是夫妻俩一起制作粪球。"

神奇手回想起先前遇到西绪福斯蜣螂的情景。

"到了8月，野牛角蜣螂的幼虫

基本吃完手指洞里的粪球，

接着，便会从长在后背上的囊里

吐出一些黏稠物将自己一层一层包起来。

直到第二年的7月底，他们仍然是幼虫的状态，

也就是说，他们变成蛹需要花一年的时间。

等到夏天快要结束时，

从蛹蜕变成成虫的野牛角蜣螂仍然住在蛹壳里。

到了9月雨季来临时，

他们才会从地底下爬出来。

野牛角蜣螂的头部有两根又粗又短的角，

前胸也有一根状似牛角的犄角，

身长约13~18毫米，体形比我们还要小。

但是，野牛角蜣螂的身体呈四方形，

好像很有力气的样子，

所以叫'野牛'的名字。"

"天气转冷时，
野牛角蜣螂就会钻到地底下过冬，
等到来年的春天，
再爬回地面生活。"
神奇手一边听着宽颈粪金龟的故事，
一边想像着野牛角蜣螂的模样。
"那么，现在我可以走了吗？"
讲完故事的宽颈粪金龟
小心翼翼地看着神奇手的脸色问道。

"当然！当然！请走吧。"

宽颈粪金龟迅速地推着粪球离开了。

"好了，我也该回家了。"

神奇手也朝着洞穴的方向推起了粪球。

到了刚才挖好的洞口，神奇手将粪球推了进去，

粪球的重量有神奇手体重的四五倍，

而洞穴的入口有人的拳头般大小。

"得赶紧堵上入口。"

神奇手用沙土封住了入口，

"这下可以放心了。"

地下的房子黑暗而安静，

让神奇手感到非常的安心。

因为是地下，房间里很凉快，
也听不到洞外的嘈杂声，
只有隐约的昆虫的歌唱声。
神奇手的心情非常舒畅，
"好了，终于可以吃了。"
神奇手开始专心地吃起粪球来，
"我得一直吃下去。"

一整天，神奇手都在不停地吃着粪球。
她能这样长时间地吃食物，
是因为圣甲虫们有细长的肠道，
在腹内弯弯曲曲的盘旋着。

我有细细长长的肠子，
能吸收羊肠来不及吸收的养分。

我有弯弯曲曲的肠子，
能吸收牛肠来不及吸收的养分。

神奇手已经吃掉了半个粪球
她一边狼吞虎咽，
一边不断地从尾部排泄出黑色
带有油光的细线。
神奇手足足吃了 12 个小时，
她的排泄物相当于一条长达 2.88 米的细线。

可爱的梨形粪球

转眼就到了6月，
羊群在牧场上悠闲地吃着青草。
神奇手看着羊群想到：
"我也该制作卵房了。"
圣甲虫平常会吃马、骡、牛、羊等
大部分家畜的粪便，
但是，为了小宝宝的卵房，
她会非常挑剔地选择材料。
"一定要保证营养丰富呀！"

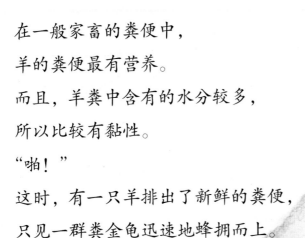

在一般家畜的粪便中，
羊的粪便最有营养。
而且，羊粪中含有的水分较多，
所以比较有黏性。
"啪！"
这时，有一只羊排出了新鲜的粪便，
只见一群粪金龟迅速地蜂拥而上。

圣甲虫们为了抢夺，

有的爬到上面，有的则钻进羊粪里。

"那是什么？"

突然，神奇手发现了一只在粪便上面

飞来飞去的粪金龟，

由于他的速度非常快，

有时一眨眼就不见了踪影，

有时直接钻到粪便里藏了起来，

身上的盔甲就像金属一样闪闪发光，非常醒目。

"怎么，直接吃羊粪啊？"

那只闪亮的粪金龟根本不想制作粪球，
而是当场吃起羊粪来。
"你怎么不做粪球呢？"
神奇手慢慢地靠过去问道。
"我们裸胸粪金龟只有在制作卵房时
才需要粪球，而且，我是公的。"
裸胸粪金龟一边吃一边回答。
裸胸粪金龟的身体又扁又平，
腋窝部分向里凹进去，
后翅连在腋窝处。

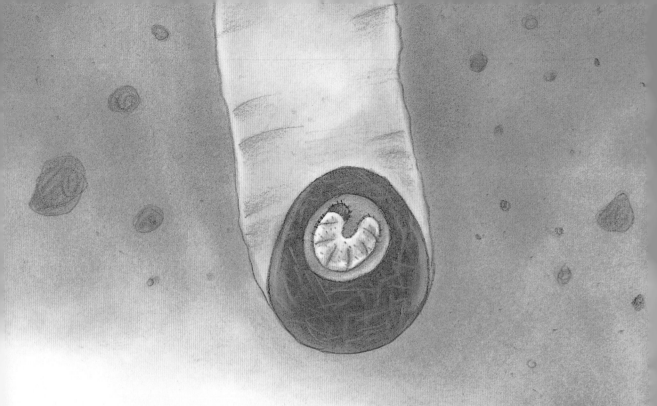

裸胸粪金龟的身长约7~14毫米，

属于体形较小的粪金龟。

"那你们如何制作卵房呢？"

"母裸胸粪金龟会挖一个七八厘米深的洞穴，

然后将卵房放进去，

我们的卵房酷似麻雀蛋。"

"那你们什么时候开始挖洞呢？"

"6月份就开始制作卵房，

在里面产卵，产卵后不到1周就会孵化出幼虫来。

我们的幼虫长得白白胖胖，

身体呈U字形的模样，

而且，背上背着一个袋子。"

裸胸粪金龟暂时停下了进餐，

仔细地解释给神奇手听：

"幼虫期是 17～25 天，蛹期是 15～20 天，

8 月成虫在卵房里度过，

等到 9 月雨季来临时，才会爬到地面上来。"

神奇手回想起自己所知道的粪金龟：

西绪福斯蜣螂、宽颈粪金龟、野牛角蜣螂，

大家都是喜欢吃粪便的甲虫，

但彼此的生活习性却大不相同。

"你好像很特别呀！
其实我认识很多种粪金龟，
但像你们这样穿着金色盔甲的还没有。"
"嘻嘻！是真的吗？"
裸胸粪金龟害羞地笑了起来。
"还有一种更特别的甲虫，
他们只在晚上活动，你想知道吗？"
裸胸粪金龟偷偷看着神奇手的表情，神秘地问道。
"嗯，你快给我讲一讲！"
裸胸粪金龟仰望着天空，对神奇手说道：
"天气晴朗的傍晚，他们爬出洞穴，
在草原的晚霞中尽情地飞翔。
他们嗡嗡地飞上高空，
沿着羊群走过的路寻找粪便。"
"他们叫什么名字？"
"叫'条纹粪金龟'"。

可以说他们是天气预报专家，

如果傍晚时分看见他们在地面上低飞，

就说明第二天一定是个好天气。

如果刮风或者下雨，

你就看不到条纹粪金龟，

他们会一直躲在洞里，

因为他们的洞穴里储存着丰富的食物，

足够他们吃好几天呢！

有一次，炎热的天气持续了3天，

在这3天里，条纹粪金龟总是在傍晚时分飞来飞去，

结果，你知道发生了什么事吗？"

"3天后，竟然下起了大雨，

而且，一连下了5天。

还有，条纹粪金龟是挖洞的高手，

虽然他们的身长只有10～25毫米，

但是，他们储存的食物和洞穴的深度却非常的惊人。

听说，他们能挖一个相当于

自己身长30倍的洞穴，

再把食物填满，

并且是在一天之内做完。"

见到神奇手好奇地聆听着自己的话，

裸胸粪金龟更加神采飞扬，

他继续滔滔不绝地说着。

"还有啊，条纹粪金龟9月份才开始产卵，
那时我们的卵早就变成成虫钻出地面了。
母条纹粪金龟在洞穴的底部挖出一间小房间，
在那里产下虫卵，然后爬上地面，
将粪球揪成小块递给公条纹粪金龟，
公条纹粪金龟接过粪球，
再一层一层覆盖在虫卵上。"

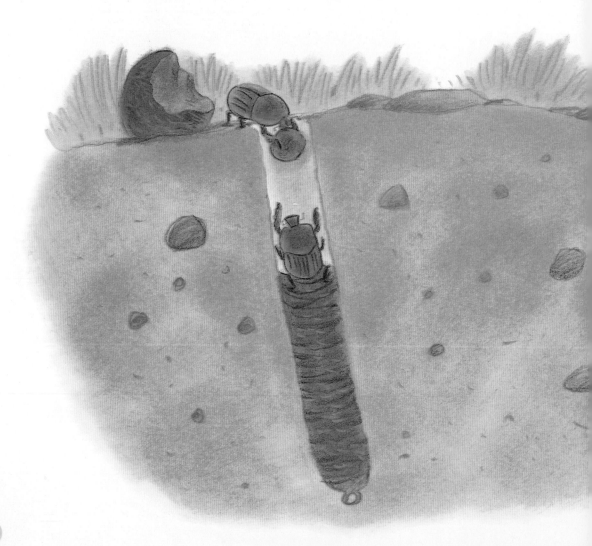

"幼虫的房子上半部分是空的，
而下半部分装着一块一块的粪球，
看起来就像一支试管。
由于这个季节雨水比较多，
为了让粪球容易干燥，
他们会把粪球堆成竹筒形状，
并且深度长达 30 厘米。
此外，洞穴的入口没有盖子，
因为堆得高高的粪球就可以充当房顶了。"
裸胸粪金龟越说越兴奋。

"还有啊，

条纹粪金龟的卵只需一两周就可以孵化成幼虫。

由于那时的天气还不会很冷，

所以，幼虫可以在洞穴里活动。

但是到了寒冷的冬天，幼虫就会进行冬眠，

这时，保护幼虫抵挡严寒的，

就是堆积在洞穴里的竹筒状的食物了。

到了12月，幼虫会发育完全，

不过，他们会耐心地在洞穴里等待春天的来临。

到了春天，幼虫将体内的废弃物全部排泄，

结成蛹，起初蛹是白色的，逐渐会变成褐色。

那个时候准确地说是5月上旬，

再过四五周，他们会变成成虫。

成虫的翅膀和腹部是白色的，

但是，头部和背部已经是黑色了。

不久后，翅膀和腹部的颜色也会越来越深，

到了6月底，就完全变成闪亮的条纹粪金龟。"

终于讲完故事的裸胸粪金龟，

又开始埋头吃起羊粪来，

留下神奇手独自想像着美丽的条纹粪金龟。

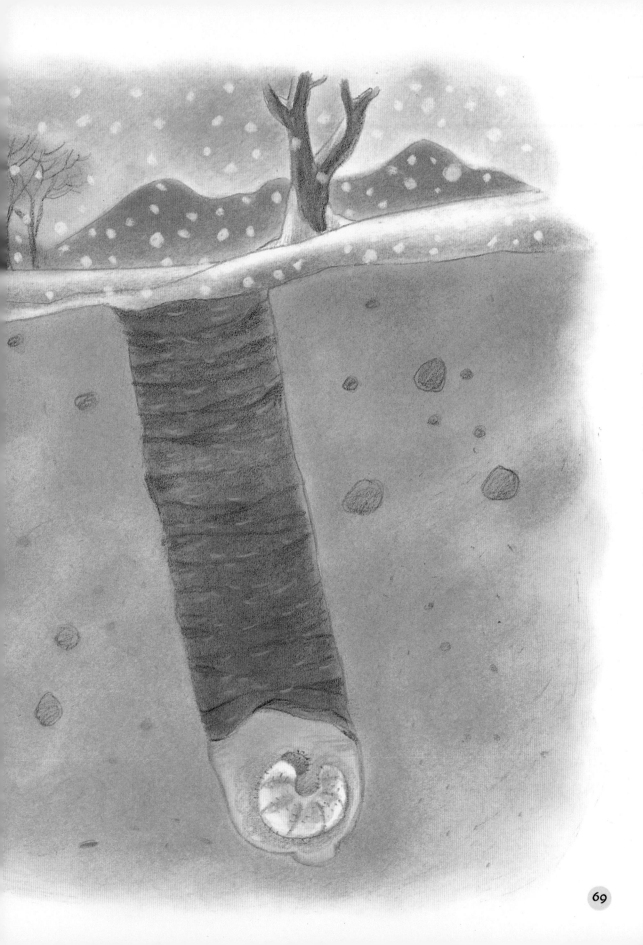

"哎呀！我也得赶快挖一块粪便出来，
免得让其他家伙全都挖走。"
神奇手突然清醒过来，迅速地挖起了羊粪，
然后倒立着将粪球推到附近的沙地上。
"那么，现在就开始制作幼虫的洞穴吧。"
神奇手挖了一个洞，把粪球推进了洞里。

幼虫的洞穴比较狭小，
刚刚能容纳神奇手的身体。
她在洞穴底部再挖出一个小洞，
把粪球放在那个小洞里。
"我得仔细察看，
粪球里有别的家伙可不行！"
神奇手上下左右仔细地检查了一遍整个粪球，
直到她确认粪球里没有掺杂其他昆虫或者卵。

如果有蜉金龟或小蜣螂躲在粪球里的话，
他们就会偷偷吃掉神奇手的粪球。
"我得赶紧制作卵房了！"
神奇手用前腿小心翼翼地整理粪球的表面。
"如果粪球的内部被风干的话，就不能做卵房了。"

神奇手把自己宽大的锯齿状前腿
当成泥刀来拍平粪球，使其表面光滑而致密。
如果粪球的内部变得又干又硬，
幼虫就无法吃了。

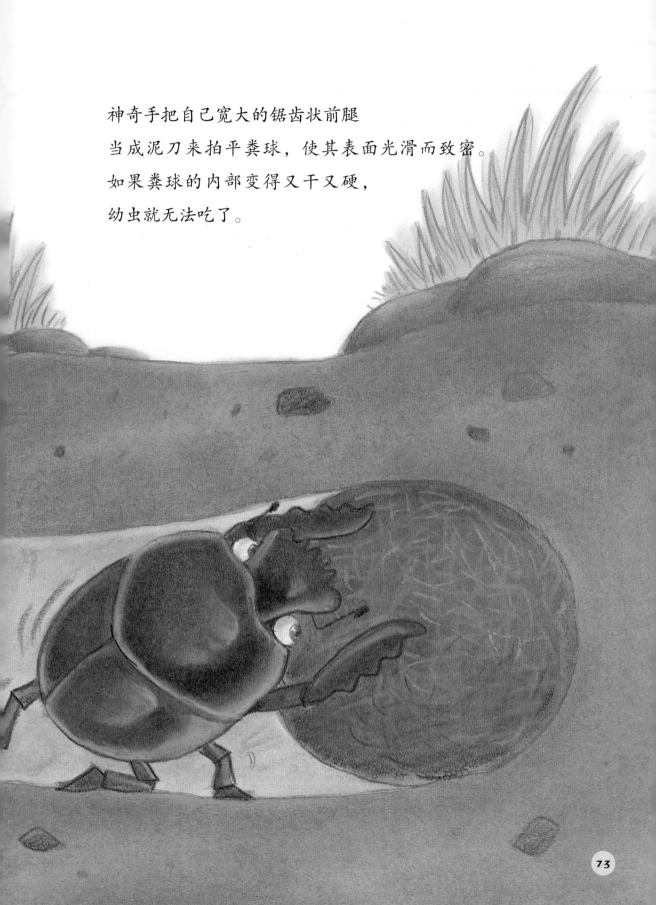

我是一个美食家，
可以制作美味的粪球；

我是一个雕塑家，
可以雕塑美丽的卵房。

神奇手用力压着粪球顶端，
开始制作卵房的"颈"部。
她先将粪球的一侧挖成茶杯底座的模样，
再将它拉长，变成梨颈一样的东西。
在制作过程中，
神奇手并不会移动卵房的位置和方向，
而是保持卵房在洞穴里斜放的位置。
她移动着自己的身体，一点一点地认真制作。

"嗯，这样应该差不多了。"
神奇手满意地看着自己制作的
西洋梨般的漂亮粪球，
这个粪球长约 4.5 厘米、宽约 3.5 厘米。
有时她也会制作一些比较小的粪球，
比如，长约 3.5 厘米、宽约 2.8 厘米的粪球。
粪球的表面又光滑又干净。
而且，刚做好的新鲜粪球，
就像新和的面团一样柔软。

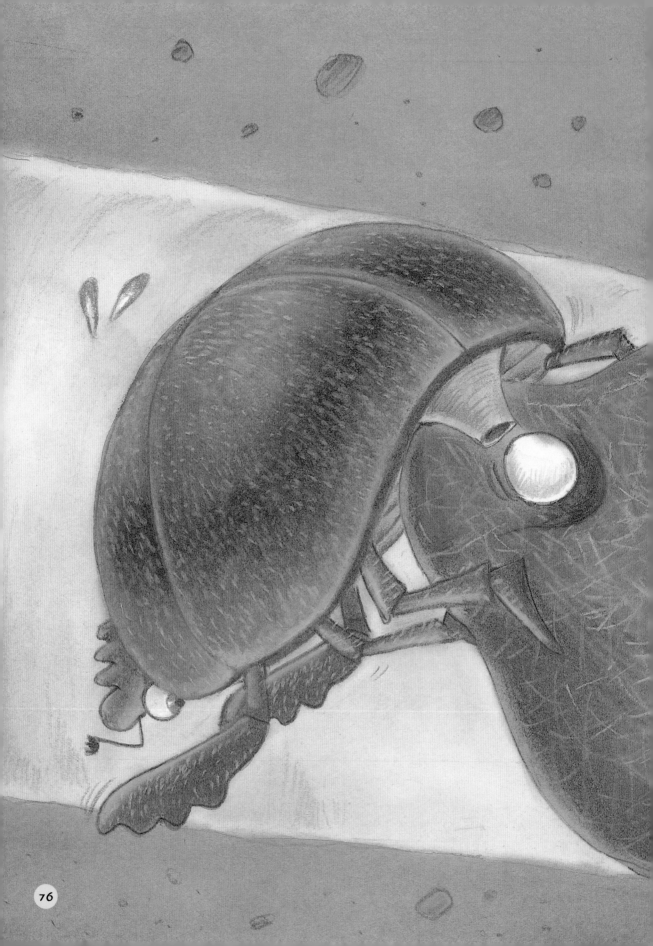

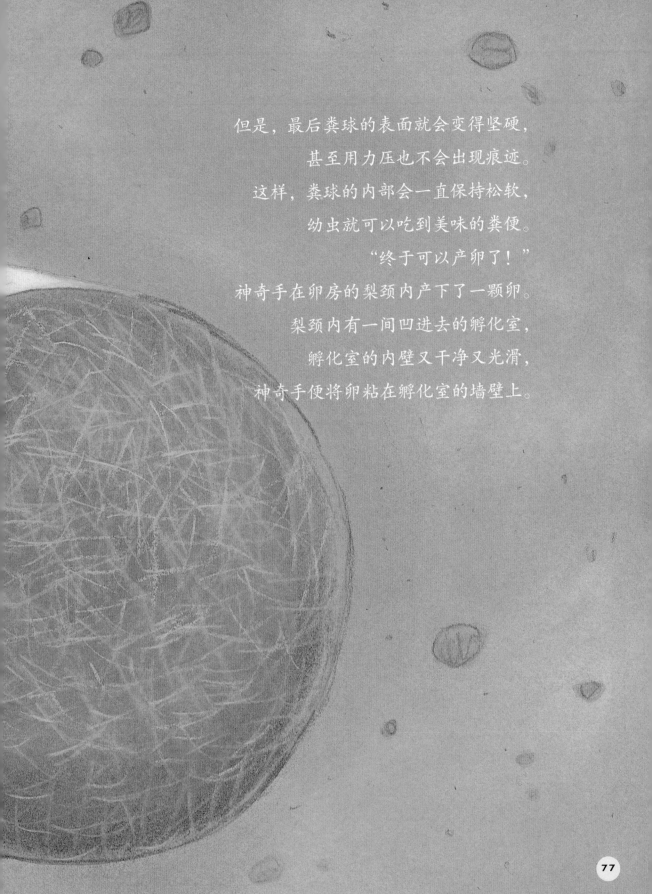

但是，最后粪球的表面就会变得坚硬，
甚至用力压也不会出现痕迹。
这样，粪球的内部会一直保持松软，
幼虫就可以吃到美味的粪便。
"终于可以产卵了！"
神奇手在卵房的梨颈内产下了一颗卵。
梨颈内有一间凹进去的孵化室，
孵化室的内壁又干净又光滑，
神奇手便将卵粘在孵化室的墙壁上。

由于刚产下的卵表面具有黏性，

所以能够粘在墙壁上。

"小宝宝，你要快点长大呀！"

神奇手产下的卵是米粒大小的白色卵，

长度约 1 厘米，宽度约 0.5 厘米，

产完卵后神奇手把卵房的入口堵上了。

梨形的卵房大部分是光滑的，

只有梨颈部富含纤维物，所以比较粗糙，

卵房可以通过这些纤维物达到空气流通，

"这样就可以让小宝宝呼吸新鲜空气了！"

"啊，终于完成了！"

神奇手深深地吐了一口气，

洞外的热气一直传到洞里来。

"小宝宝，现在妈妈该做的都做完了。"

神奇手慈祥地看着卵房，轻声地叮咛着。

"小宝宝，妈妈的名字是神奇手，
那是因为妈妈会制作神奇的漂亮粪球。
现在，我给你取个名字吧，
就叫"魔术手"怎么样？
希望你像魔术师那样制作出完美的粪球，
至于怎样制作粪球，就需要你自己慢慢学习了。"

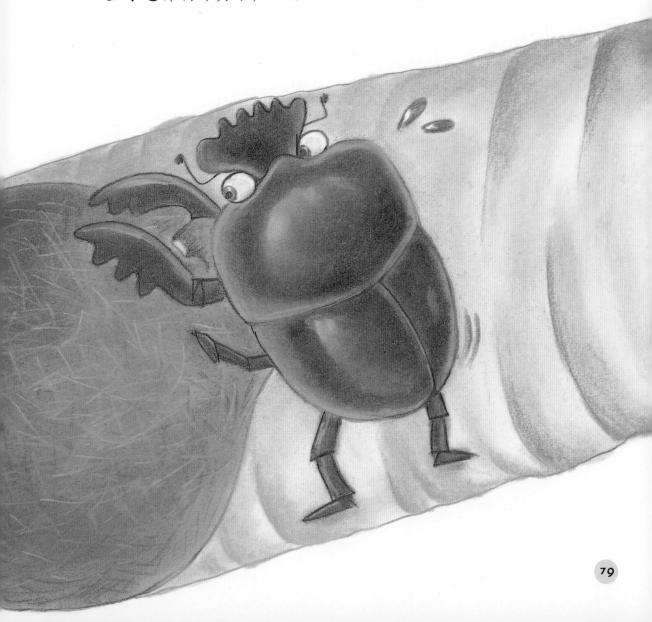

"而且，我们的卵房也非常漂亮，
一定要全心全意地制作卵房啊！
不要辜负了妈妈给你取的名字，
现在妈妈要走了，
快快长大吧，我的小宝宝。"
神奇手亲切地望了望自己制作的卵房，
转身爬出了洞穴，
然后用泥土封住了洞口，
使得入口处堆满沙土而隆起。
神奇手展开翅膀，依依不舍地飞走了。

魔术手和帅气角

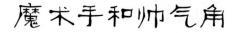

阳光普照的一天，
在距离地面 10 厘米左右的孵化室里，
刚刚孵化出一只幼虫。
这一天是神奇手产卵后的第 6 天，
孵化出来的圣甲虫就是"魔术手"。

有时孵化时间会长达 12 天，
主要和天气或者气温有关。
"哇！我现在是幼虫了。"
魔术手身体白嫩透明，
体内的消化器官隐约可见。
他的身体像虾一样弯曲着，
背部还长着一个鼓鼓的大袋子。

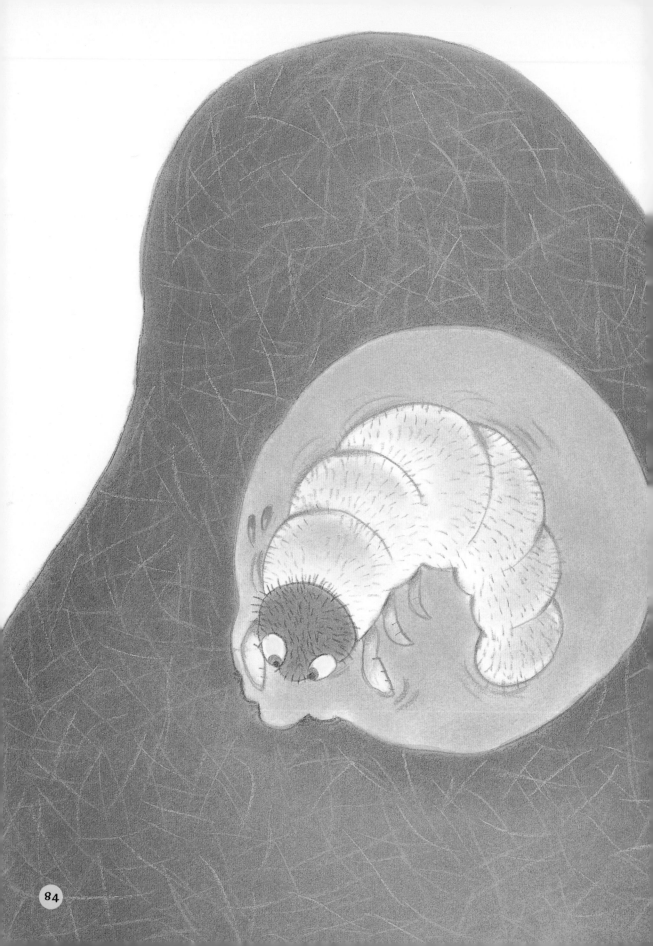

他的头部较小，呈淡褐色，长着粗糙的细毛，

腹部上还长着6条又长又结实的腿。

但是，幼虫的腿并不是用来爬行的。

"哎呀！好饿呀！"

魔术手开始啃起孵化室里的食物，

不过，他可不是随便什么地方都吃，

"我可不能把房间的墙壁啃破啊！"

于是，魔术手从房间的角落开始吃起来。

如果从孵化室的梨颈处开始吃的话，

薄薄的墙壁就会吃出洞来，

那么，外面的空气进到孵化室，

粪球就会干燥，甚至裂开。

魔术手一天天地长大了，

他的身体也变得像象牙般白皙光滑。

"现在开始朝中间的方向吃吧。"

魔术手开始吃粪球的中央部分，

"嗯，真想睡一觉。"

不久后，魔术手蜷缩着身体，

进入了沉沉的梦乡。

魔术手就这样在粪球里

吃饱了睡，睡醒了吃，过着悠闲的日子。

这时，在魔术手洞穴附近的地底下，
还有另一种幼虫，
他们就是西班牙蜣螂的幼虫们，
一共有4只。
"我们的角是世界上最漂亮的角！"
这些幼虫的名字叫"帅气角"，
帅气角们出生时已经是又大又结实的幼虫了。
他们的身体又白又软，
只有头部稍硬，并且呈浅黄色。

"你们好啊！我的孩子们！"
帅气角的妈妈西班牙蜣螂看着
自己的卵房，轻声问候着。
西班牙蜣螂穿着一身黑色盔甲，
粗短的腿使他们看起来非常笨拙，
他们的身体长约15～30毫米。
在公西班牙蜣螂的头上，
有一根向后弯曲的长长的角。
而母西班牙蜣螂的角比较短。

我们不需要长长的腿，
因为我们不用推粪球；

我们不用推着粪球走，
因为我们就住在粪便下。

当帅气角们在卵房里吃东西的时候，
他们的妈妈会一直在身边
不停地给他们讲故事。
"我的帅气角们，
我们西班牙蜣螂白天都会躲在洞穴里，
只有天黑后才到地面上寻找食物。
我们一旦发现粪便，
就马上在粪便下面挖洞穴、盖房子，
所以，我们的食物同时也是屋顶。
我们的洞穴挖到有小苹果那么大就可以了。
挖好洞穴以后，
就可以直接上屋顶拿食物进来吃。
因此，只要洞穴上面还有粪便，
我们就不用爬出地面。"

"妈妈告诉你们呀，我们甲虫中有一些家伙，

不但辛苦地制作粪球，还特地挖好洞穴把粪球带进去吃，

可是我们只在孵化宝宝时才为宝宝们制作粪球，

你们想想多幸福啊！

不过，我们会非常用心地制作小宝宝的洞穴。

你们现在居住的这个洞穴比较宽敞，

虽然天花板有点儿凹凸不平，

但是地板非常光滑，

那个圆形的洞穴就是地下通道。"

"只要沿着这条地下通道，就可以到地面上。
地下通道的墙壁是用湿润的泥土砌成的，
而且仔细拍打过，所以非常坚固。
你们的爸爸不但和妈妈一起盖漂亮的房子，
还帮着妈妈为你们准备足够的食物。"

"当妈妈开始制作粪球时，

爸爸就告别妈妈回到地面上，

这是因为，洞穴的空间只能容纳一个人。

'我得做一个大大的粪球！'

那时，妈妈利用爸爸拿回来的粪块儿，

做成一块儿很大的粪团儿，

然后爬到粪团儿上面拍打粪团的表面，

使突出的地方变得平滑，这样粪球就制作完成了。

'现在得耐心地等待了！'

在粪球做好后的那一个星期，

妈妈什么事情也不做，

静静地等着粪球发酵。

被酵母菌发酵的粪球不但味道好，

而且比较容易整理表面，

因为这时粪球的硬度恰到好处。

一个星期过去了，粪球已经膨胀起来了，

'现在可以制作卵房了！'

妈妈就会利用头顶的大锹和锯齿状的前腿，

将粪球切成几块儿。

接下来，妈妈整整一天都在制作圆形的卵房。"

"第二天，妈妈又爬到卵房的顶端，
把粪球捏成坛子状的孵化室，
再在里面产卵。
'小心！再小心！'
然后，用前腿夹紧坛子状的入口，
把它变成弧形的屋顶，
'千万不能失手！'
如果用力太猛，有可能伤害到虫卵。"

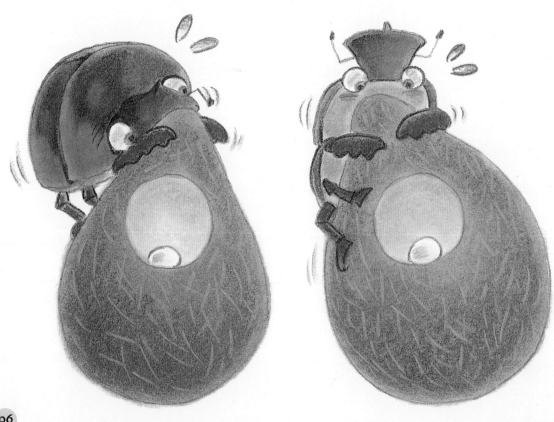

"我小心翼翼地继续整理卵房，

足足用了24小时才制作完坛子形的卵房，

这就是大帅气角的卵房。

接着，妈妈又从粪团上切下了第2块粪球儿，

然后，陆陆续续完成第3和第4个卵房，

这样，就做好了你们四兄弟的房子。"

当西班牙蜣螂的妈妈诉说着这些经过时，

洞穴的外面已经开始刮起了风，还下起了毛毛雨。

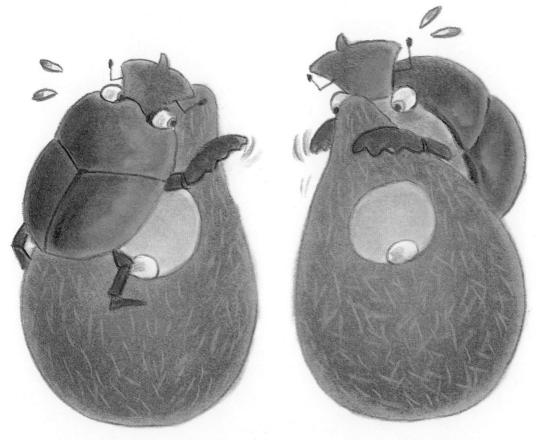

圣甲虫的洞穴一旦被人类踩过后，
就找不到洞穴的出口了。
魔术手的洞穴也发生了同样的状况，
"糟了！我的孵化室有裂纹了。"
魔术手的卵房表面就像鱼鳞一样，
有一些脱皮和裂痕。
"我得赶紧修补裂纹！"
魔术手从尾巴排出一些水泥状的液体，
利用圆形的扁平尾巴压平了裂痕。
圣甲虫幼虫的身体尾部里有一种物质，
是专门用来修理墙壁的。
"现在该整理了！"
这次，魔术手将身体转过来，
用头部和嘴巴仔细整理刚刚修补过的地方。
过了15分钟后，水泥状的液体变得又干又硬，
已经看不到墙壁的裂痕了。

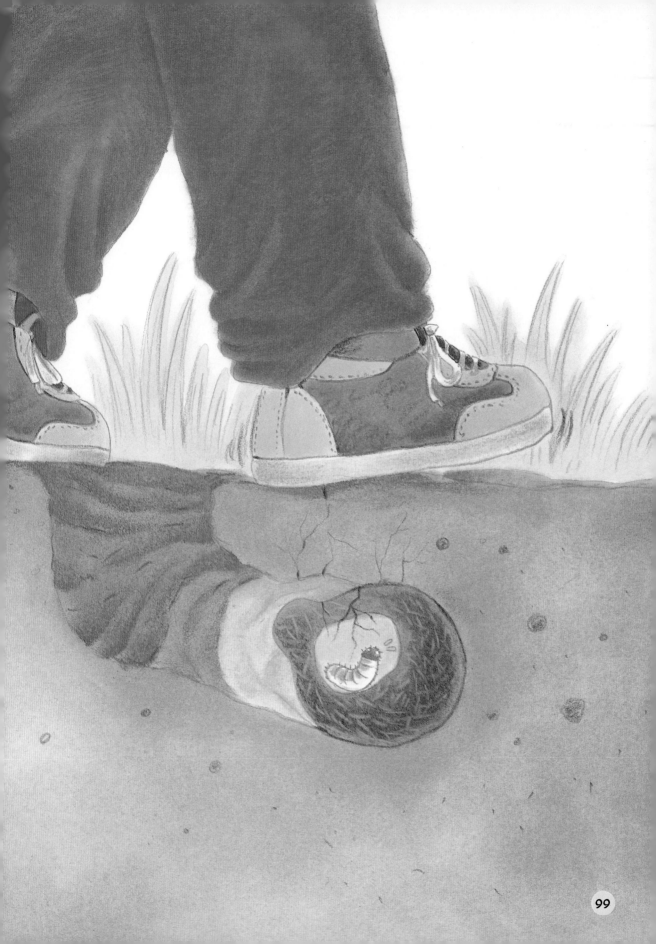

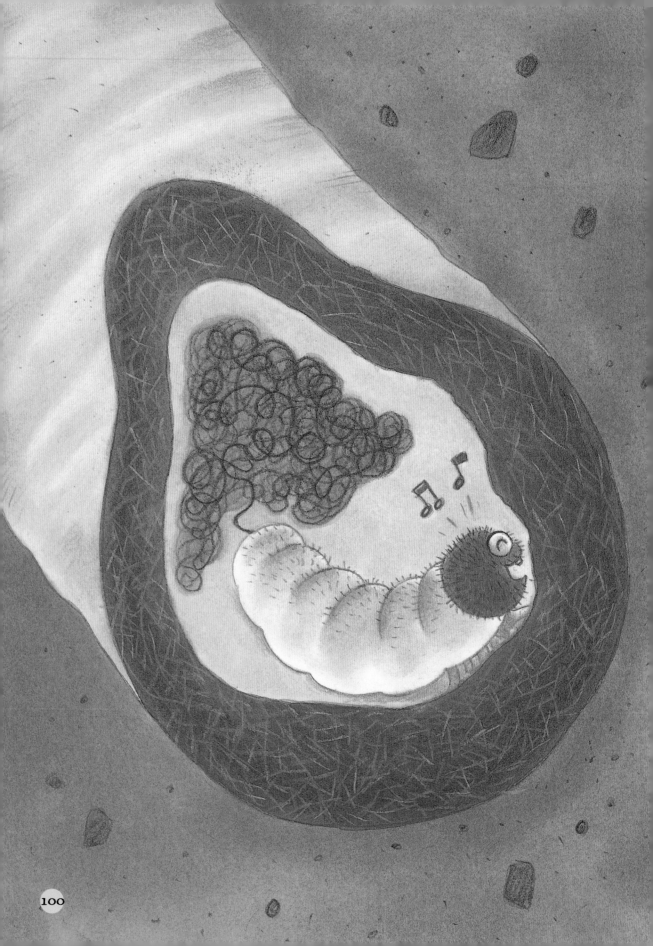

这时，住在隔壁的帅气角们的卵房也出现了裂纹，

"哎呀！我得赶紧给他们修补。"

西班牙蜣螂的妈妈一般都会守在卵房旁边，

一旦卵房出现裂纹或者发霉，

她就会马上帮孩子们修理。

但是，魔术手只有一个人在洞穴里，

所以，他必须靠自己来修补裂痕，

幸好，魔术手天生具有这样的能力。

"赶快多吃点吧，

那样才能快点儿长大呀！"

魔术手继续吃着孵化室里的食物，

他一边吃，一边从尾部排出废弃物。

"不用担心！"

只见魔术手吃过的空地方，

堆满了他的排泄物。

随着排泄物的增加，

魔术手孵化室的墙壁越来越薄了，

而他的食物也越来越少了。

"好了，不能再吃了！"

不知不觉中，魔术手已经长大了，

他开始准备结蛹了。

魔术手又从尾部排出水泥状的液体，

把它涂抹在卵房的内壁上，

他需要将变薄的墙壁重新加固。

装饰好的内壁非常光滑，

而且，"一定要坚固！"

坚固到不论是用手弹，

还是用小石子砸都丝毫不出现破损。

接着，魔术手脱掉了幼虫的外皮，

匀称的身体呈现出琥珀般的色泽，

而且非常晶莹剔透。

"现在该睡觉了！"
魔术手将前腿弯曲后并排放在胸口上，
至于即将成为鞘翅的地方，则被折叠在背部上方，
除了头部以外，魔术手的其他部位仍然尚未成形。

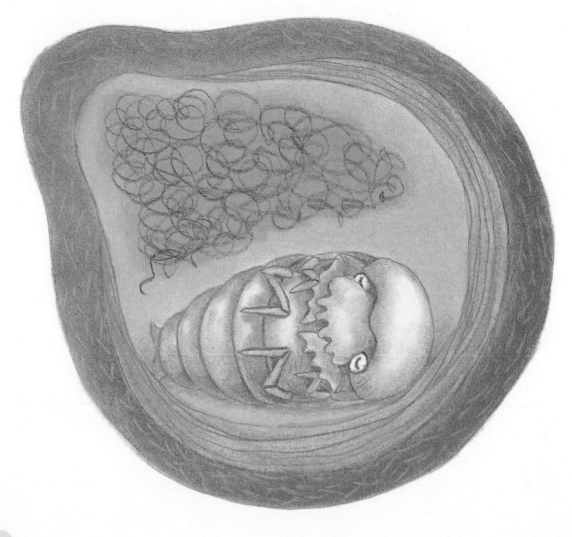

这时帅气角们也变成了蛹。

头、角、前胸、腿等部分，

逐渐从黄色变成了红色，

只有鞘翅部分还是淡淡的黄色。

又过了一个月，

帅气角们从蛹变成了成虫。

魔术手也蜕掉了蛹壳变成了成虫，

他的头和腿仍是深红色，

腹部呈白色，鞘翅则是半透明的白色，

并带了点淡淡的黄色。

但是，这身漂亮的衣服只是暂时的，

再过一个月后，他的身体就会渐渐变成黑色，

到那时他就会穿上坚硬的盔甲，

长成一只真正的甲虫。

此时，洞外还是8月炎热干燥的气候，

粪金龟们的洞穴也异常地闷热。

"啊，真想出去看一看！"

魔术手向往着洞外的世界，

每天都在焦急地等待着，

可是，就算他再怎么敲打，

也无法敲破卵房坚固的内壁。

转眼到了9月，

草原上开始下起了秋雨。

雨水渐渐地渗透到地下，

魔术手和帅气角的卵房也被雨水浸湿，

变得松软了。

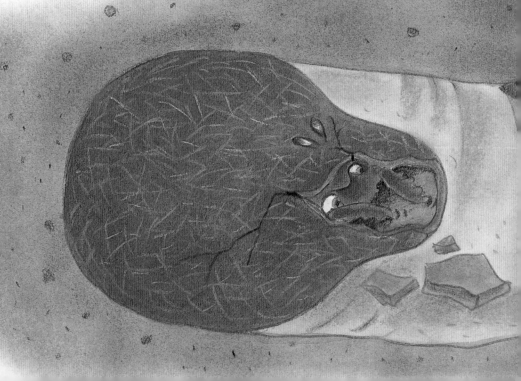

"现在可以了！"
魔术手用力敲打着房间的墙壁，
被雨水浸湿的卵房，
"啪！"的一声破开了。

"哇！"

魔术手爬出了卵房。

这时，帅气角和他们的妈妈也爬出了洞穴。

西班牙蜣螂妈妈在这4个月里，什么都不吃，

一直照顾着自己的小宝宝。

"好棒啊！"

魔术手终于爬到了地面上，

阳光照射在他的身上，

非常温暖、非常舒适。

"孩子，我们的卵房非常漂亮，

希望你将来也能努力制作出最棒的卵房！"

魔术手仿佛听到了妈妈的叮咛声，

他展开翅膀，向农场的方向飞了过去……

穿越时空系列 （12本 全彩） 穿越时间长河的神秘之旅

《穿越时空》系列图书是英国 ORPHEUS 图书有限公司出版的英文系列图书的中文版。每一本书都讲述一个主题，如城堡、火山、恐龙、交通、金字塔等等。翻开每本书都像经历一次旅行，但这绝非普通的旅行，而是一次穿越时间长河的旅行。每翻过一页，时间就向前跳跃几天、几年、几个世纪，甚至数万年。每个时刻——也就是旅行中的每一站，都是相关主题的一个篇章。

★ **科学性** 每本书都以时间为主线，通过细致入微的手绘和通俗严谨的语言讲述各个主题的历史变迁。每一页都有标示时间的"拇指索引"，显示宏大场景的图中还有很多名词术语的标注。书后还附有名词解释和索引，方便小读者们检索和查询。

★ **趣味性** 《穿越时空》系列书不像通常意义的历史书或科普书那样单调乏味，设计者运用了很多细节来增强趣味性。主题单纯，容易让你专心探究；以时间为序，让你有穿越时空的探秘兴趣。每本书每幅画面上都有一个角色作线索，且角色与画面场景融合，这样一种藏宝图般的设计，能激发你的好奇心，带领你更进一步地深入探索。

★ **图画细致精美** 本系列的每一本书的画面都气势恢弘，场面宏大，很具观赏性，同时又相当细致，画中即使有几十个人物，也能做到个个栩栩如生，都有不同的动作和表情。很多建筑都进行局部切开，方便看到内部结构。这样的剖面图设计，可以培养你的审美能力和立体感。

★ **语言娓娓动听** 本系列均由英美文学专业硕士翻译，北师大英美文学博士导师审定，语言流畅，娓娓动听，与图画相得益彰，让你有穿越时空、身临其境之感。其中很多名词术语都经过译者和编辑仔细核实和反复推敲，保证了在科学性的基础上达到很高的文学性。

Youpi 小百科系列 (10本 全彩)

"Youpi"是法语中小孩表示兴奋的惊叹词，相当于"哇，真棒！"Youpi 小百科系列是法国最受欢迎的儿童百科读物。书中包含了丰富的动物、植物、自然、科技等内容，带领小读者观察世界，学习各种好玩而又实用的知识。每一本书都包含六个主题，通过拉页的方式，让小读者们惊喜地发现其中隐藏的有趣知识，也可以满足小朋友动手体验的渴望，激发探索事物的好奇心。

丰富有趣的内容，是探索科学的最佳读物

你知道长颈鹿的舌头是黑色的吗？抹香鲸能潜入海洋最深处，是最棒的潜水冠军呢！你注意到水有时能在空中跳跃吗？中世纪的骑士如何比武？未来的汽车是什么样子？Youpi 系列用最简单、最有趣的方式，带领小读者了解世界的秘密。

独特的编排设计，激发探索的欲望

在每一本书中，醒目的主题图片都呈现在两个单页上，双手拉开这两个单页，就会惊喜的发现里面相连的四页中藏着丰富有趣的知识。

生动精彩的图文，好玩有益的实验，让你手脑并用

每一个主题都搭配大量的图画，用写实的画法或者精致的照片，将每一个主题最重要的特点完整地表现出来。文字简洁幽默，让小读者轻松吸收相关信息。在每个主题的最后一页，以幽默可爱的漫画进行更详细的补充，用生活中的常见物品来讨论与主题相关的常识，非常容易理解；同时，也安排了简易有趣的小实验，让你可以动手操作，比如：怎样给鸟儿制作鸟巢，怎样让下沉的物体上浮等等。

好玩
实用

激发
探索

请在这儿写下你与昆虫之间的故事吧：